À Jono, Jodi, Lily, et Oren
—J.J.

Je dédie ce livre aux deux plus mauvaises graines
que je connais : Vincent et William
—P.O.

Publié pour la première fois aux États-Unis en 2017 sous le titre
The Bad Seed par HarperCollins Children's Books,
une division du groupe HarperCollins Publishers,
195 Broadway, New York, NY 10007

© 2017, Jory John pour le texte
© 2017, Pete Oswald pour les illustrations

Édition française et traduction
© 2024, Le lotus et l'éléphant, un imprint d'Hachette Livre
58, rue Jean Bleuzen – 92178 Vanves Cedex

Édition : Anissia Mora
Traduction et mise en page : Anne-Laure Estèves
Correction : Anouck Philippon
Fabrication : Anne-Laure Soyez

Loi n° 49-956 du 16 juillet 1949
sur les publications destinées à la jeunesse.

Dépôt légal : février 2024
ISBN : 978-2-01-788909-0
31-7544-4

Achevé d'imprimé en France par Pollina - n°48779

hachette s'engage pour
l'environnement en réduisant
l'empreinte carbone de ses livres.
Celle de cet exemplaire est de :
500 g éq. CO$_2$
Rendez-vous sur
www.hachette-durable.fr

PAPIER À BASE DE
FIBRES CERTIFIÉES

LA MAUVAISE GRAINE

Jory John et Pete Oswald

Le loups & le petit éléphant

Je suis une mauvaise graine.

Une trèèèèèèèès mauvaise graine.

Quand elles croient que je n'écoute pas, elles lancent :

Attention, voilà
la mauvaise graine !

Mais je les entends. J'entends très bien, pour une graine.

Eh bien...

Je ne remets jamais les choses à leur place.

Je suis toujours en retard.

Je raconte des blagues très longues et pas drôles du tout.

Je ne me lave jamais les mains.   Ni les pieds.

Je mens à la moindre occasion.

Je double tout le monde. À chaque fois.

Je fixe les gens.

Je leur fais peur.

Je coupe la parole à tout le monde,
mais je n'écoute personne.

Et je fais *plein* d'autres vilaines choses. Et tu sais
pourquoi? Parce que je suis une mauvaise graine.

Une trèèèèèèès mauvaise graine.

Je ne peux pas m'en empêcher. C'est comme ça.

Bien sûr, je n'ai pas *toujours* été aussi mauvaise.
Quand je suis née, j'étais une graine comme les autres,
sur un simple tournesol, dans un champ quelconque.

Je faisais partie d'une grande famille.
Il y avait des graines partout.
On trouvait tout le temps un moyen
de s'amuser. On était très proches.

Et puis, les pétales
ont commencé à tomber.

Et notre fleur s'est affaissée.

La suite est un peu floue.

Bio

GRAINES DE TOURNESOL

UN RÉGAL

Je me souviens d'un sac...

Tout est devenu sombre…

... et après... *après...*

Je pensais que c'était fini pour moi…
Je pensais que j'étais cuite…
J'ai crié. J'ai hurlé…

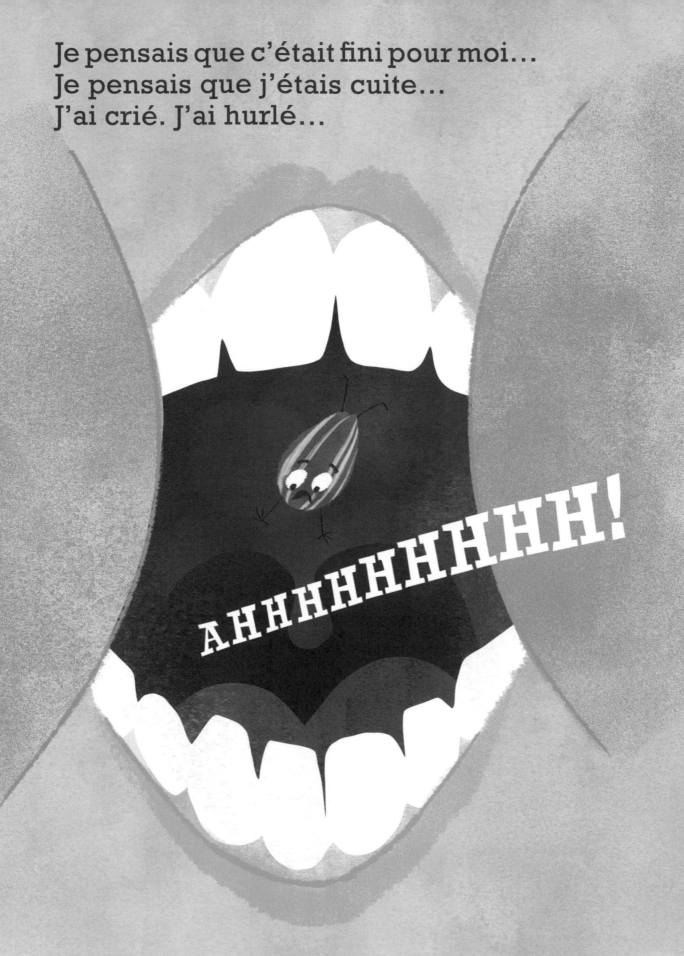

« Thhfuuuuuuu ! »

Mais il m'a recrachée
à la toute dernière
seconde.

Je me suis envolée dans les airs,
et j'ai atterri sous les gradins
avec un grand boum.

BOUM!

Quand je me suis réveillée, il faisait nuit.
Un vieux chewing-gum avait amorti ma chute.
J'avais survécu. Mais quelque chose avait
changé en moi. Je n'étais plus la même.

**J'étais devenue
une mauvaise graine.**

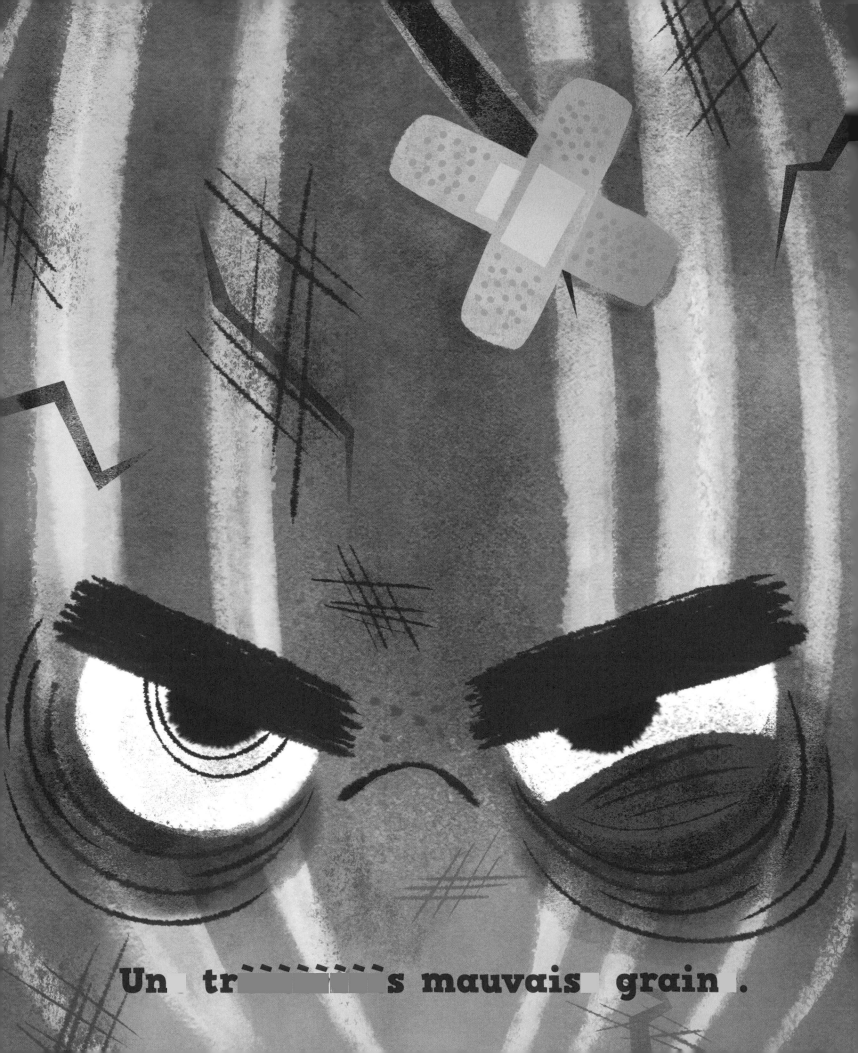

Un tr**********s mauvais grain .

À partir de ce moment,
j'ai arrêté de sourire.
Je me suis isolée.
J'ai erré sans but.

Je n'avais aucun ami ; j'étais
agressive envers les autres.
Je me suis perdue volontairement.

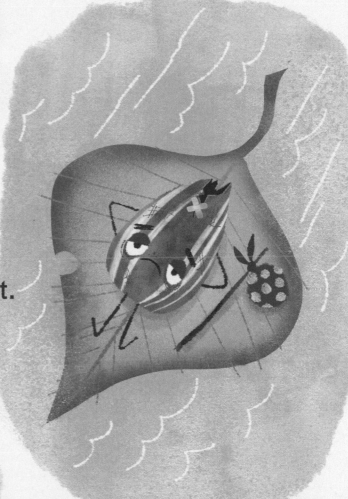

Je vivais dans
une cannette de soda.
Et je m'en moquais.
Cela me convenait.

Jusqu'à récemment, en tout cas.

J'ai pris une grande décision.
J'ai décrété que je ne voulais plus
être une mauvaise graine.
Je suis prête pour le bonheur.

C'est difficile d'être bonne quand
on est habituée à être mauvaise.
Mais je fais de mon mieux.
Je progresse chaque jour.

Bien sûr, j'oublie encore
d'écouter, parfois.

Et il m'arrive encore
d'être en retard.

Je continue de parler pendant les films.
Et je fais encore plein d'autres bêtises.

Mais je suis aussi capable
de dire merci, désormais.

Et je dis s'il vous plaît.
Et je souris.

Et je tiens la porte pour laisser passer les gens.
Pas toujours. Mais de temps en temps.

Et si j'ai encore des mauvaises pensées,
je sens aussi qu'il y a du bon en moi.
C'est une sorte de mélange entre les deux.

En tout cas, je poursuis mes efforts.
Et je continue de me dire que, peut-être,
je ne suis pas une si mauvaise graine
que ça, après tout.

J'ai entendu.